A-Z CITY

CON

Map Pages	2-23
Key to Map Pages	Back Cover

REFERENCE

A Road	A40	Map Continuation	16 Large Scale City Centre	2
B Road	B480	Car Park		P
Dual Carriageway		Church or Chapel		†
One-way Street		Fire Station		■
Traffic flow on A Roads is indicated by a heavy line on the drivers left.		Hospital		H
All one-way streets are shown on Large Scale Pages 2 & 3	→	Information Centre		i
Pedestrianized Road		National Grid Reference		205
Restricted Access		Police Station		▲
Track	- - - - - - - -	Post Office		★
Footpath	- - - - - - - -	Toilet		▽
Residential Walkway	....	with facilities for the Disabled		♿
Local Authority Boundary	· — · — ·	Educational Establishment		
Postcode Boundary	— — —	Hospital or Hospice		
Railway	Level Crossing ✕ Station ■	Industrial Building		
		Leisure or Recreational Facility		
Built-up Area	MILL ST.	Oxford University College/Hall		
		Place of Interest		
House Numbers	8 —— 15	Public Building		
A & B Roads Only		Shopping Centre or Market		
		Other Selected Buildings		

SCALE
1:16,896

0	¼		½ Mile
0	250	500	750 Metres

3¾ inches (9.52cm) to 1 mile
5.91 cm to 1 kilometre

Geographers' A-Z Map Co. Ltd.

Head Office:
Fairfield Road, Borough Green, Sevenoaks, Kent TN15 8PP
Telephone: 01732 781000 (General Enquiries & Trade Sales)

Showrooms:
44 Gray's Inn Road, Holborn, London WC1X 8HX
Telephone: 020 7440 9500 (Retail Sales)
www.a-zmaps.co.uk

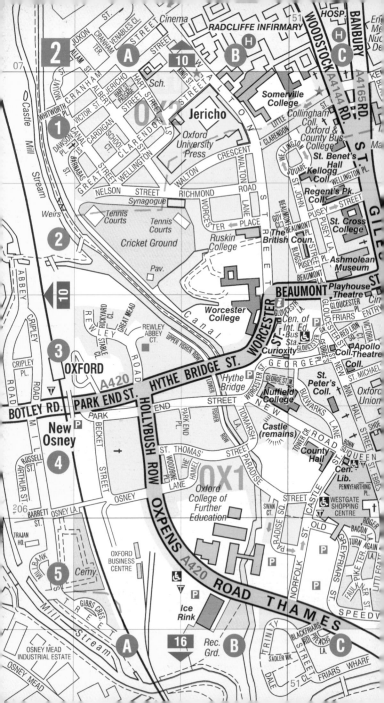

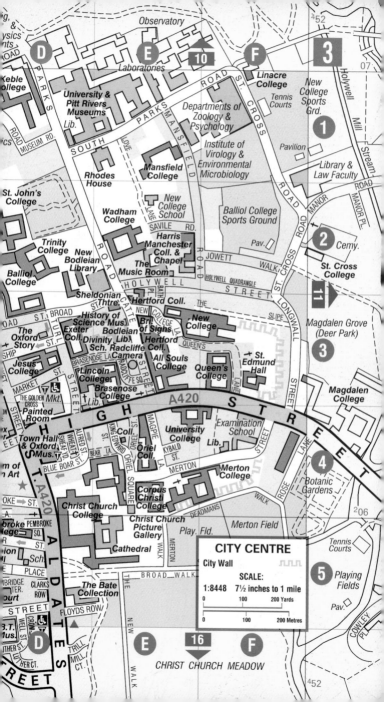

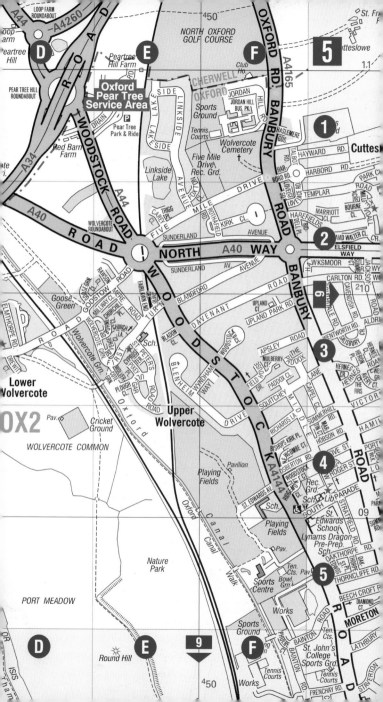

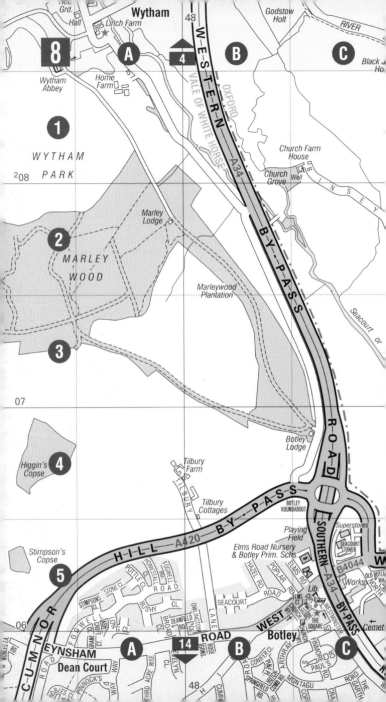

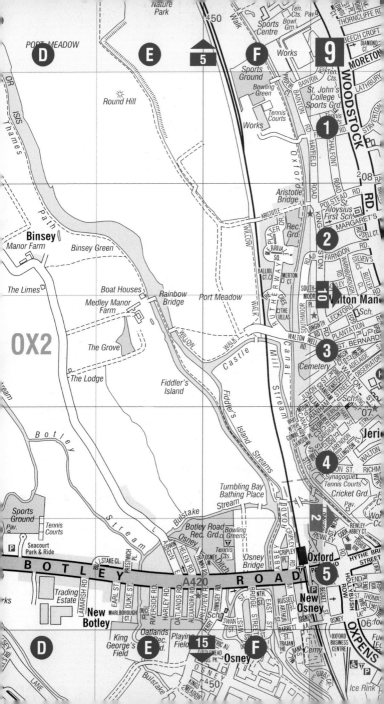

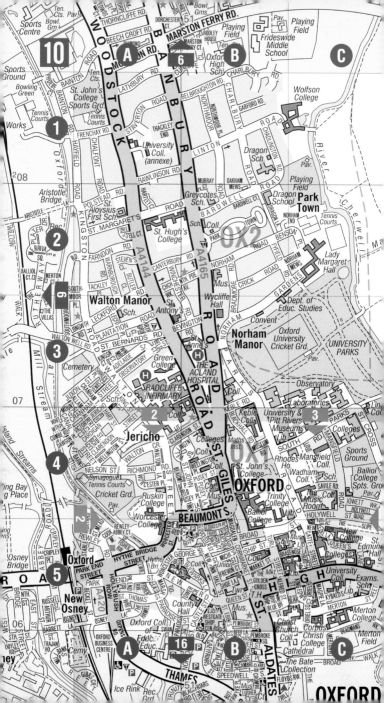

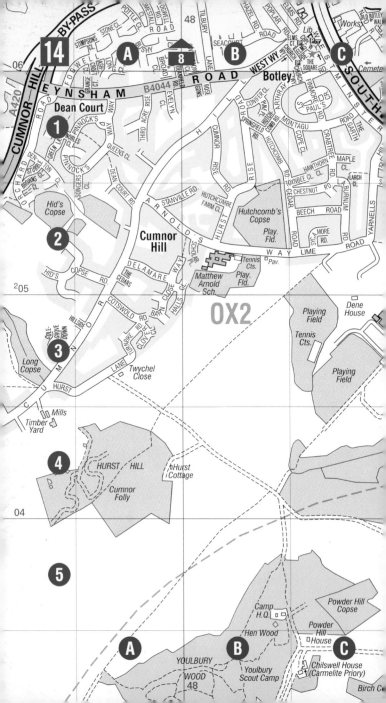

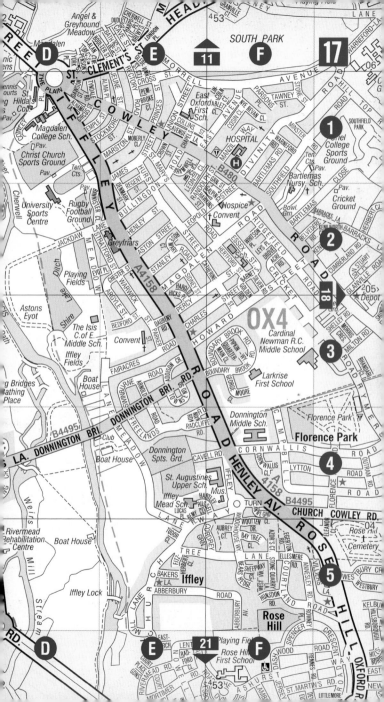

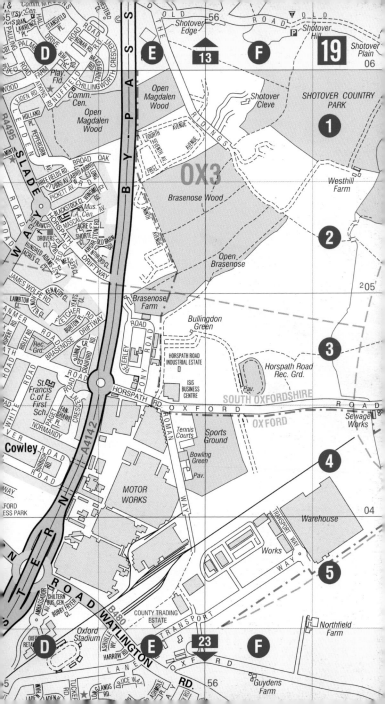

20

A   **16**   B   C

Chilswell Lodge

A 4 1 5 1

Ann Kendals Farm

SOUTHERN

ABINGDON
KENNINGTON ROUNDABOUT
RED BRIDGE
Park & Rid
Stream

well se

Hinksey Hill Interchange

1

Limekiln Copse

Bagley Croft

Egrove Cottage

Spring Copse

Templeton College

UPPER RD
MARSH RD
PEEP
FOREST SIDE
JACK'S LA
COLLEY WOOD
BAGLEY

03

CHILSWELL LA.

2

Westwood House

FOXCOMBE RD.

Bottom Copse

Hangman's Bottom

BAGLEY WOOD

WEST WOOD

Middle Hill

Colley's Ladder West

Colley's Ladder East

3

Cow Hill Bottom

Watery Brake

Under Woods

Watery Brake Gate Piece

202

Woodcraft Wood

Bagley Wood Sawmill

Three Corner Piece

4

Laud's Copse

Farringdon Gap

West Middle Copse

East Middle Copse

Milestone Piece

Old Peg Brake

Sunningwell Bottom

Manor Farm

Old Man's Piece

5

Chandlings Farm

Upper Sugworth Copse

Lower Sugworth Copse

01

A   B   C

51

Sugworth Farm

SUGWORTH LANE

Oxfordshire

Circular Walks

HINKSEY HILL
OXFORD ROAD
BETTY LANE
SPRING COPSE
BADGER LANE
BAGLEY WOOD ROAD
ABINGDON BY-PASS A34

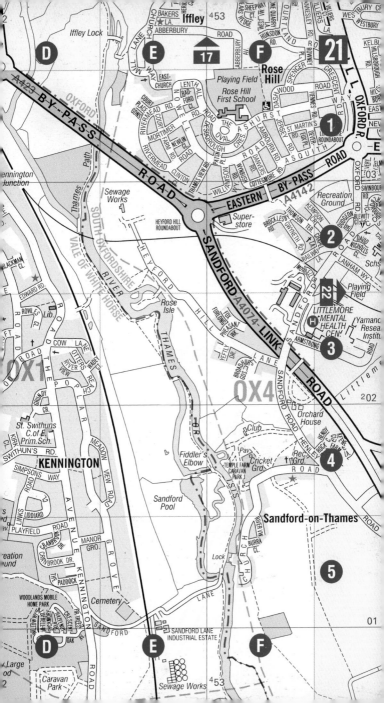

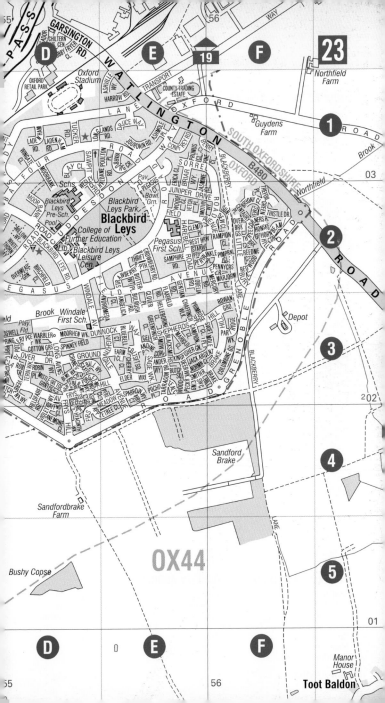

Grid references (circled): D, E, 19, F (top); 1, 2, 3, 4, 5 (right side); D, E, F (bottom)

BY-PASS

GARSINGTON RD.

CHILTERN BUS. CEN.
ABBEY FYFER CL.

WATLINGTON

OXFORD RETAIL PARK

Oxford Stadium

ASHVILLE RD.
Oxford TRANSPORT CEN.
HARROW RD.

COUNTY TRADING ESTATE

Northfield Farm

OXFORD ROAD

Guydens Farm

SOUTH OXFORDSHIRE

B480

OXFORD

Northfield

Brook

03

LANE

TUCKER RD.
GLANDS RD.
SLUCE WAY
LADE RD.
LADENHAM RD.
YINGATE RD.
JOURDAIN RD.
ASHVILLE WAY
COMET RD.
BERRY CL.
BLACKBERRY
SAVILLE RD.

Schs.

Blackbird Leys Pre-Sch.
Pool
MOORBANK
MOOR BANK
BROOM
CRESCENT

Blackbird Leys Park

Pav.
Bowl. Grn.

ASHVILLE WAY

SORREL
PRUNUS CL.
BRIAR
JUNIPER DRIVE
HOLLY
JASMINE
FENECA CL.

CEDAR RD.

Blackbird Leys

College of Further Education
Lib.
Blackbird Leys Leisure Cen.

Pegasus First Sch.

HAREBELL CL.
CRESTHRN
STARW
PERIW
PIMPERN
PENNYCRS
MARJORM CL.

TAMPION

HOPPER RD.

BUDDLESDON

THRIFT
BUTTER
CHOWBERRY
PTH.

SAMPHIRE RD.

SUNKLE
PERS
MRCORN

ROAD

BLACKBIRD LEYS RD.

OVERMEAD GRN.
BIRCHFIELD

PEGASUS

WINDALE

FLEMMONIA

WBERRY
CLOVER RD.
ANGELICA
RUSH
GENTIAN

OBELIA
AVENUE
MRCORN

Windale First Sch.
Brook

Play Fld.
OSWELL FLD.
SPRING
POT
EVY PCE
ROB
SIXTEENTH
OVER DR.
TICH RD.
WARBLER WK.
COTTON GRS.
MOORHEN WK.
LONG GREEN
DUNNOCK
NIGHTINGALE
Spinney Field
BLUEBELL
CHERRY TREE CL.
CORI
SAGE WK.
ANDER
ARRAGON WK.
BUTC
CAMPION
ROWAN
HILL GRO.
PAR.
JOINE
GRENOBLE LANE

SHEPHERDS
GREENSLADE
KINGSFISHER GN.
JACK ARGENT
NORMAN CL.
SMITH
POCHO

Depot

BLACKBERRY

202

GROUND
NURS.
ROBIN
PL.
MISTLE
GRN.
FRYS HILL
WAYFRNG
MEADOW
ANEMONE
PEETREE CL.

SPARROW WAY
ELDER WAY

ROAD

Sandford Brake

Sandfordbrake Farm

OX44

4

Bushy Copse

5

01

Manor House

Toot Baldon

55   56

INDEX

Including Streets, Industrial Estates, Selected Subsidiary Addresses,
Colleges and Selected Places of Interest.

HOW TO USE THIS INDEX

1. Each street name is followed by its Posttown or Postal Locality and then by its
   map reference; e.g. *Abberbury Rd. Oxfd* —5E **17** is in the Oxford Posttown and is
   to be found in square 5E on page **17**. The page number being shown in bold type.
   A strict alphabetical order is followed in which Av., Rd., St., etc. (though
   abbreviated) are read in full and as part of the street name; e.g. Ash Gro. appears
   after Ashcroft but before Ashlong Rd.

2. Streets and a selection of Subsidiary names not shown on the Maps, appear in the
   index in *Italics* with the thoroughfare to which it is connected shown in brackets;
   e.g. *Masons All. Head* —4D **13** (off Quarry School Pl.)

3. An example of a selected place of interest is
   Ashmolean Mus. of Art & Archaeology —5B 10 (3C 2)

4. Map references shown in brackets; e.g. *Albert St. Oxfd* —4A **10** (1A **2**) refer to
   entries that also appear on the large scale pages 2 & 3.

GENERAL ABBREVIATIONS

All : Alley
App : Approach
Arc : Arcade
Av : Avenue
Bk : Back
Boulevd : Boulevard
Bri : Bridge
B'way : Broadway
Bldgs : Buildings
Bus : Business
Cvn : Caravan
Cen : Centre
Chu : Church
Chyd : Churchyard
Circ : Circle
Cir : Circus
Clo : Close
Comn : Common
Cotts : Cottages
Ct : Court
Cres : Crescent
Cft : Croft
Dri : Drive
E : East
Embkmt : Embankment

Est : Estate
Fld : Field
Gdns : Gardens
Gth : Garth
Ga : Gate
Gt : Great
Grn : Green
Gro : Grove
Ho : House
Ind : Industrial
Info : Information
Junct : Junction
La : Lane
Lit : Little
Lwr : Lower
Mc : Mac
Mnr : Manor
Mans : Mansions
Mkt : Market
Mdw : Meadow
M : Mews
Mt : Mount
Mus : Museum
N : North
Pal : Palace

Pde : Parade
Pk : Park
Pas : Passage
Pl : Place
Quad : Quadrant
Res : Residential
Ri : Rise
Rd : Road
Shop : Shopping
S : South
Sq : Square
Sta : Station
St : Street
Ter : Terrace
Trad : Trading
Up : Upper
Va : Vale
Vw : View
Vs : Villas
Vis : Visitors
Wlk : Walk
W : West
Yd : Yard

POSTTOWN AND POSTAL LOCALITY ABBREVIATIONS

Boar H : Boars Hill
Bot : Botley
C'nr : Cumnor
Cowl : Cowley
Farm : Farmoor
Head : Headington
Iff : Iffley

Ken : Kennington
Lit : Littlemore
Mars : Marston
Old M : Old Marston
Oxfd : Oxford
Oxfd S : Oxford Business
Pk. S.

S Hin : South Hinksey
Sand T : Sandford-on-
Thames
Wolv : Wolvercote
Wyth : Wytham

INDEX

Bay Tree Clo. *Oxfd* —5F **17**
Bear La. *Oxfd* —5C **10** (4E **3**)
Bears Hedge. *Oxfd* —5F **17**
Beauchamp La. *Oxfd* —5B **18**
Beauchamp Pl. *Oxfd* —5A **18**
Beaumont Bldgs. *Oxfd* —4A **10** (2B **2**)
Beaumont La. *Oxfd* —4B **10** (2C **2**)
Beaumont Pl. *Oxfd* —4A **10** (2C **2**)
Beaumont Rd. *Head* —3E **13**
Beaumont St. *Oxfd* —4B **10** (2B **2**)
Becket St. *Oxfd* —5A **10** (4A **2**)
Bedford St. *Oxfd* —3E **17**
Beech Cft. Rd. *Oxfd* —5A **6**
Beeches, The. *Head* —2D **13**
Beechey Av. *Mars* —2E **11**
Beech Rd. *Bot* —2C **14**
Beech Rd. *Head* —3B **12**
Beef La. *Oxfd* —1B **16** (5D **3**)
Belbroughton Rd. *Oxfd* —1B **10**
Belsyre Ct. *Oxfd* —3A **10**
Belvedere Rd. *Oxfd* —2F **17**
Bennett Cres. *Cowl* —4C **18**
Benson Pl. *Oxfd* —2B **10**
Benson Rd. *Head* —1C **18**
Bergamot Pl. *Oxfd* —3D **23**
Bernwood Rd. *Head* —1D **13**
Berry Clo. *Oxfd* —1E **23**
Bertie Pl. *Oxfd* —5C **16**
Betty La. *Oxfd* —1B **20**
Between Towns Rd. *Cowl & Oxfd*
　　　　　　　　　　　　　—4B **18**
Bevington Rd. *Oxfd* —3A **10**
Bhandari Clo. *Oxfd* —3A **18**
Bickerton Rd. *Head* —4B **12**
Binsey La. *Oxfd* —1C **8**
Binswood Av. *Head* —4D **13**
Birchfield Clo. *Oxfd* —2D **23**
Bishops Ct. *Head* —4F **11**
Bishops Kirk Pl. *Oxfd* —4F **5**
Blackberry La. *Oxfd* —1F **23**
　(in two parts)
Blackbird Leys Rd. *Oxfd* —1C **22**
　(in two parts)
Blackfriars Rd. *Oxfd* —1B **16** (5C **2**)
Blackhall Rd. *Oxfd* —4B **10** (1C **2**)
Blackman Clo. *Ken* —2D **21**
Blacksmiths Mdw. *Oxfd* —3E **23**
Blackstock Clo. *Head* —2D **19**
Blackthorn Clo. *Head* —2C **12**
Bladon Clo. *Oxfd* —3E **5**
Blandford Av. *Oxfd* —3E **5**
Blay Clo. *Oxfd* —1D **23**
Bleache Pl. *Oxfd* —4C **18**
Blenheim Dri. *Oxfd* —3E **5**
Blewitt Ct. *Lit* —2A **22**
Bloomfield Pl. *Oxfd* —1A **2**
Bluebell Ct. *Oxfd* —3E **23**
Bluebell Ride. *Ken* —5D **21**
Blue Boar St. *Oxfd* —5B **10** (4D **3**)
Bobby Fryer Clo. *Cowl* —5D **19**
Bodley Pl. *Oxfd* —3A **6**

Bodley Rd. *Lit* —1B **22**
Bonar Rd. *Head* —5D **13**
Bonn Sq. *Oxfd* —4C **2**
Borrowmead Rd. *Head* —1A **12**
Boswell Rd. *Oxfd* —5B **18**
Botley Rd. *Oxfd* —5D **9** (4A **2**)
Botley Roundabout. *Oxfd* —4C **8**
Boulter St. *Oxfd* —5D **11**
Boults Clo. *Mars* —5E **7**
Boults La. *Mars* —1E **11**
Boundary Brook Rd. *Oxfd* —3F **17**
Bourne Clo. *Oxfd* —2A **6**
Bowness Av. *Head* —2F **11**
Bracegirdle Rd. *Head* —5D **13**
Bradmore Rd. *Oxfd* —3B **10**
Brake Hill. *Oxfd* —3F **23**
Brambling Way. *Oxfd* —2C **22**
Brampton Rd. *Head* —2E **13**
Bramwell Pl. *Oxfd* —1E **17**
Brasenose College. —5C **10** (3E **3**)
Brasenose Driftway. *Oxfd* —3D **19**
Brasenose La. *Oxfd* —5B **10** (3D **3**)
Brewer St. *Oxfd* —1B **16** (5C **2**)
Briar Way. *Oxfd* —1E **23**
Bridge St. *Oxfd* —5F **9**
British Telecom Mus.
　　　　　　　　　　—1B **16** (5D **3**)
Broad Clo. *Oxfd* —5A **8**
Broadfields. *Lit* —2C **22**
Broadhead Pl. *Head* —1A **12**
Broadhurst Gdns. *Lit* —3F **21**
Broadlands. *Mars* —4D **7**
Broad Oak. *Head* —1D **19**
Broad St. *Oxfd* —5B **10** (3D **3**)
Broad Wlk. *Oxfd* —1C **16** (5E **3**)
Brocklesby Rd. *Oxfd* —2F **21**
Brogden Clo. *Oxfd* —1D **15**
Brome Pl. *Head* —2D **13**
Brookfield Cres. *Head* —1F **11**
Brooklime Wlk. *Oxfd* —3D **23**
Brookside. *Head* —4B **12**
Brook St. *Oxfd* —2B **16**
Brook Vw. *Oxfd* —2F **23**
Broughton Clo. *Mars* —1E **11**
Browns Clo. *Oxfd* —2A **14**
Bryony Clo. *Oxfd* —2F **23**
Buckingham St. *Oxfd* —2B **16**
Buckler Rd. *Oxfd* —3A **6**
Bulan Rd. *Oxfd* —1C **18**
Bullingdon Rd. *Oxfd* —2E **17**
Bullstake Clo. *Oxfd* —5E **9**
Bulrush Rd. *Oxfd* —3E **23**
Bulwarks La. *Oxfd* —5B **10** (3C **2**)
Burbush Rd. *Oxfd* —4D **19**
Burchester Av. *Head* —2D **13**
Burdell Av. *Head* —2F **13**
Burgan Clo. *Oxfd* —5C **18**
Burlington Cres. *Head* —3F **13**
Burra Clo. *Sand T* —5F **21**
Burrows Clo. *Head* —3C **12**
Bursill Clo. *Head* —3F **13**

Burton Pl. *Oxfd* —3D **19**
Buryknowle Pk. *Head* —3C **12**
Bushey Leys Clo. *Head* —1D **13**
Bushy Clo. *Oxfd* —5A **8**
Butler Clo. *Oxfd* —2A **10**
Buttercup Sq. *Oxfd* —3E **23**
Butterwort Pl. *Oxfd* —2E **23**
Butterwyke Pl. *Oxfd* —1B **16** (5D **3**)
Butts La. *Mars* —5E **7**

Calcot Clo. *Head* —5D **13**
Campbell Rd. *Oxfd* —4F **17**
Campion Clo. *Oxfd* —3E **23**
Campion Hall. —*1B* **16** (5D **3**)
  (off Brewer St.)
Canal St. *Oxfd* —4F **9** (1A **2**)
Canbridge Ter. *Oxfd* —1B **16** (5D **3**)
Canning Cres. *Oxfd* —4D **17**
Cannons Fld. *Mars* —5E **7**
Canterbury Rd. *Oxfd* —2A **10**
Capel Clo. *Oxfd* —3A **6**
Cardigan St. *Oxfd* —4A **10** (1A **2**)
  (in two parts)
Cardinal Clo. *Oxfd* —1A **22**
Cardwell Cres. *Head* —4A **12**
Carey Clo. *Oxfd* —2E **5**
Carfax Tower. —5B **10** (4C **2**)
Carlton Rd. *Oxfd* —2A **6**
Caroline St. *Oxfd* —5D **11**
Carpenter Clo. *Oxfd* —2B **22**
Carter Clo. *Head* —4E **13**
Cascade Way. *Oxfd S* —5C **18**
Castle Remains. —*5A* **10** (4B **2**)
  (off New Rd.)
Castle St. *Oxfd* —5B **10** (4C **2**)
Catherine St. *Oxfd* —2E **17**
Catte St. *Oxfd* —5C **10** (3E **3**)
Catwell Clo. *Oxfd* —3A **18**
Cavell Rd. *Oxfd* —4E **17**
Cavendish Dri. *Mars* —1D **11**
Cavendish Rd. *Oxfd* —2A **6**
Cave St. *Oxfd* —5E **11**
Cecil Sharp Pl. *Head* —4B **12**
Cedar Rd. *Oxfd* —2C **14**
Cedars, The. *Oxfd* —2A **14**
Celandine Pl. *Oxfd* —3E **23**
Centaury Pl. *Oxfd* —2F **23**
Chadlington Rd. *Oxfd* —1B **10**
Chaffinch Wlk. *Oxfd* —3E **23**
Chalfont Rd. *Oxfd* —1A **10**
Champion Way. *Oxfd* —1A **22**
Chapel La. *Lit* —2A **22**
Chapel St. *Oxfd* —1E **17**
Chapel Way. *Oxfd* —5C **8**
Charlbury Rd. *Oxfd* —1B **10**
Charles St. *Oxfd* —3E **17**
Chatham Rd. *Oxfd* —4C **16**
Cheney La. *Head* —5F **11**
Chequers Pl. *Head* —3D **13**
Cherry Clo. *Oxfd* —3E **23**

Cherwell Dri. *Mars* —1E **11**
Cherwell St. *Oxfd* —5E **11**
Chester St. *Oxfd* —2E **17**
Chestnut Av. *Head* —2C **12**
Chestnut Rd. *Oxfd* —2C **14**
Chillingworth Cres. *Head* —1D **19**
Chilswell La. *Oxfd* —5D **15**
  (in two parts)
Chilswell Path. *Oxfd* —5E **15**
Chilswell Rd. *Oxfd* —2B **16**
Chiltern Bus. Cen. *Cowl* —5D **19**
Cholesbury Grange. *Head* —2F **11**
Cholsey Clo. *Oxfd* —5B **18**
Choswell Spring. *Oxfd* —3D **23**
Christ Church College. —5C **10** (3E **3**)
Christ Church Picture Gallery.
  (off Oriel Sq.)   —5C **10** (5E **3**)
Church Clo. *S Hin* —4A **16**
Church Cowley Rd. *Oxfd* —4F **17**
Church Hill Rd. *Oxfd* —5A **18**
Churchill Dri. *Head* —5B **12**
Churchill Pl. *Oxfd* —3E **5**
Church La. *Mars* —5E **7**
Church La. *Wolv* —3E **5**
Church Rd. *Sand T* —5F **21**
Church Wlk. *Oxfd* —2A **10**
Church Way. *Iff* —5E **17**
Church Way. *Oxfd* —5C **8**
  (in two parts)
Cinnaminta Rd. *Head* —1D **19**
Circus St. *Oxfd* —1D **17**
Clarendon Cen., The. *Oxfd* —4D **3**
Clarks Row. *Oxfd* —1B **16** (5D **3**)
Claymond Rd. *Head* —2E **13**
Clays Clo. *Head* —1F **11**
Cleavers Sq. *Oxfd* —3D **23**
Clematis Pl. *Oxfd* —2E **23**
Cleveland Dri. *Oxfd* —4B **18**
Clifford Pl. *Wolv* —3C **4**
Clinton Clo. *Oxfd* —1E **21**
Clive Rd. *Oxfd* —4A **18**
Clover Clo. *Oxfd* —3A **14**
Clover Pl. *Oxfd* —3E **23**
Cobden Cres. *Oxfd* —1B **16**
Colemans Hill. *Head* —3D **13**
Colegrove Down. *Oxfd* —3A **14**
Coleridge Clo. *Oxfd* —4C **18**
College La. *Lit* —2A **22**
College La. Flats. *Lit* —2A **22**
College, The. *Lit* —2A **22**
Colley Wood. *Ken* —2C **20**
Collins St. *Oxfd* —1E **17**
Collinwood Clo. *Head* —3E **13**
Collinwood Rd. *Head* —3E **13**
Colterne Clo. *Head* —2F **11**
Coltsfoot Sq. *Oxfd* —3E **23**
Columbine Gdns. *Oxfd* —3F **23**
Colwell Dri. *Head* —2F **13**
Combe Rd. *Oxfd* —4F **9**
Comfrey Rd. *Oxfd* —1E **23**
Compass Clo. *Oxfd* —5A **18**

Conifer Clo. *Oxfd* —1B **14**
Coniston Av. *Head* —2F **11**
Coolidge Clo. *Head* —5C **12**
Cooper Pl. *Head* —3E **13**
Cope Clo. *Oxfd* —1C **14**
Coppock Clo. *Head* —3D **13**
Copse La. *Mars* —2F **11**
Cordrey Grn. *Oxfd* —5F **17**
Coriander Way. *Oxfd* —3E **23**
Cornmarket St. *Oxfd* —5B **10** (3D **3**)
Cornwallis Clo. *Oxfd* —4F **17**
Cornwallis Rd. *Oxfd* —4F **17**
Corpus Christi College.
—5C **10** (4E **3**)
Corunna Cres. *Oxfd* —3D **19**
Cosin Clo. *Oxfd* —1F **17**
Costar Clo. *Lit* —1C **22**
Cotswold Cres. *Mars* —1E **11**
Cotswold Rd. *Oxfd* —3A **14**
Cottesmore Rd. *Oxfd* —2F **21**
Cotton Grass Clo. *Oxfd* —3D **23**
County Trad. Est. *Cowl* —5E **19**
Ct. Farm Rd. *Oxfd* —1E **21**
Courtland Rd. *Oxfd* —5F **17**
Court Pl. Gdns. *Iff* —1E **21**
Coverley Rd. *Head* —2C **18**
Cow La. *Ken* —3D **21**
Cowley Cen. *Cowl* —4B **18**
Cowley Pl. *Oxfd* —1D **17** (5F **3**)
Cowley Rd. *Lit* —2A **22**
(in two parts)
Cowley Rd. *Oxfd* —1E **17**
Crabtree Rd. *Oxfd* —1C **14**
Cranbrook Dri. *Ken* —5D **21**
Cranesbill Way. *Oxfd* —3D **23**
Cranham St. *Oxfd* —4A **10** (1A **2**)
Cranham Ter. *Oxfd* —3A **10** (1A **2**)
Cranley Rd. *Head* —2E **13**
Cranmer Rd. *Oxfd* —3D **19**
Craufurd Rd. *Oxfd* —3D **19**
Crescent Clo. *Oxfd* —3C **18**
Crescent Hall. *Oxfd* —3C **18**
Crescent Rd. *Oxfd* —3B **18**
Crescent, The. *Oxfd* —3F **9**
Crescent, The. *Sand T* —4B **22**
Cress Hill Pl. *Head* —2E **13**
Cricket Rd. *Oxfd* —2F **17**
Crick Rd. *Oxfd* —2B **10**
Cripley Pl. *Oxfd* —5F **9** (3A **2**)
Cripley Rd. *Oxfd* —5F **9** (3A **2**)
Croft Clo. *Mars* —2E **11**
Croft Rd. *Mars* —2E **11**
Croft, The. *Head* —2C **12**
Cromwell Clo. *Mars* —2E **11**
Cromwell St. *Oxfd* —1B **16** (5D **3**)
Cross St. *Oxfd* —1E **17**
Crotch Cres. *Mars* —2E **11**
Crowberry Rd. *Oxfd* —2E **23**
Crowell Rd. *Oxfd* —5B **18**
Crown St. *Oxfd* —1E **17**
Crozier Clo. *Oxfd* —1C **14**

Cuckoo La. *Head* —4E **11**
(in two parts)
Cuddesdon Way. *Oxfd* —2D **23**
Cumberland Rd. *Oxfd* —2A **18**
Cumberlege Clo. *Mars* —4D **7**
Cummings Clo. *Head* —4D **13**
Cumnor Hill. *C'nr & Oxfd* —3A **14**
Cumnor Hill By-Pass. *Oxfd* —1A **14**
Cumnor Ri. Rd. *Oxfd* —1B **14**
Cunliffe Clo. *Oxfd* —5B **6**
Curiosity Science Gallery.
—5B **10** (3C **2**)
Curioxity. —*5B* **10** *(3C* **2***)*
(off George St.)
Cutteslowe Ct. *Oxfd* —2A **6**
Cyprus Ter. *Oxfd* —3E **5**

Dale Clo. *Oxfd* —1A **16** (5B **2**)
Danvers Rd. *Oxfd* —1F **21**
Dashwood Rd. *Oxfd* —1F **21**
Daubeny Rd. *Oxfd* —3E **17**
Davenant Rd. *Oxfd* —3E **5**
David Nicholls Clo. *Lit* —2A **22**
David Walter Clo. *Oxfd* —2A **6**
Dawson Pl. *Oxfd* —4F **9** (1A **2**)
Dawson St. *Oxfd* —1D **17**
Deadmans Wlk. *Oxfd* —5C **10** (4E **3**)
Dean Ct. Rd. *Oxfd* —1A **14**
Deanfield Rd. *Oxfd* —5A **8**
Deer Wlk. *Oxfd* —3E **23**
Delamare Way. *Oxfd* —2A **14**
Delbush Av. *Head* —2F **13**
Dene Rd. *Head* —1C **18**
Denmark St. *Oxfd* —2E **17**
Denton Clo. *Oxfd* —1A **14**
Dents Clo. *Mars* —1F **11**
Derwent Av. *Head* —2F **11**
Desborough Cres. *Oxfd* —1E **21**
Desmesne Furze. *Head* —5A **12**
Devereux Pl. *Oxfd* —1F **21**
Devil's Backbone, The. *Oxfd* —4B **16**
Diamond Ct. *Oxfd* —5A **6**
Diamond Pl. *Oxfd* —5A **6**
Divinity Rd. *Oxfd* —1F **17**
Dodgson Rd. *Oxfd* —5B **18**
Don Bosco Clo. *Oxfd* —3C **18**
Donnington Bri. *Oxfd* —4D **17**
Donnington Bri. Rd. *Oxfd* —4E **17**
Don Stuart Pl. *Oxfd* —2A **18**
Dora Carr Clo. *Head* —1A **12**
Dorchester Clo. *Head* —5D **13**
Dorchester Ct. *Oxfd* —5A **6**
Doris Fld. Clo. *Head* —3F **11**
Dovehouse Clo. *Oxfd* —3E **5**
Downside End. *Head* —3F **13**
Downside Rd. *Head* —3E **13**
Doyley Rd. *Oxfd* —1F **15**
Dragon La. *Oxfd* —2B **10**
Drain Rd. *Oxfd* —1E **5**
Drewitt Ct. *Wolv* —3D **5**

Drove Acre Rd. *Oxfd* —2F **17**
Drovers Ct. *Head* —2D **19**
Druce Way. *Oxfd* —1E **23**
Dudgeon Dri. *Oxfd* —2A **22**
Dudley Ct. *Oxfd* —4A **6**
Dudley Gdns. *Oxfd* —5E **11**
Duke St. *Oxfd* —5E **9**
Dunnock Way. *Oxfd* —3D **23**
Dunstan Rd. *Head* —2B **12**
Dunstead La. *Wyth* —5A **4**
Dynham Pl. *Head* —5C **12**

Earl St. *Oxfd* —5E **9**
East Av. *Oxfd* —1E **17**
Eastchurch. *Iff* —1E **21**
Eastern Av. *Oxfd* —1A **22**
Eastern By-Pass. *Head* —3E **13**
Eastern By-Pass. *Lit* —1A **22**
Eastern By-Pass Rd. *Oxfd* —2F **21**
East Fld. Clo. *Head* —2D **19**
East St. *Oxfd* —5F **9**
Eden Dri. *Head* —1F **11**
Edgecombe Rd. *Head* —2E **13**
Edgeway Rd. *Mars* —3E **11**
Edith Rd. *Oxfd* —3B **16**
Edmund Halley Rd. *Oxfd* —3B **22**
Edmund Rd. *Oxfd* —4B **18**
Edward Rd. *Ken* —3D **21**
Edwin Ct. *Oxfd* —5E **9**
Egerton Rd. *Oxfd* —5F **17**
Elder Way. *Oxfd* —3E **23**
Eleanor Clo. *Oxfd* —5A **18**
Electric Av. *Oxfd* —1F **15**
Ellesmere Rd. *Oxfd* —5F **17**
Elms Ct. *Oxfd* —5C **8**
Elms Dri. *Mars* —1E **11**
Elms Pde. *Oxfd* —5C **8**
Elms Rd. *Oxfd* —5B **8**
Elmthorpe Rd. *Wolv* —3D **5**
Elmtree Clo. *Lit* —1A **22**
Elsfield Rd. *Mars* —5E **7**
Elsfield Way. *Oxfd* —2A **6**
Emperor Gdns. *Oxfd* —3D **23**
Erica Clo. *Oxfd* —1E **23**
Essex St. *Oxfd* —2F **17**
Ethelred Ct. *Head* —2B **12**
Evelyn Clo. *Bot* —1A **14**
Everard Clo. *Head* —5C **12**
Ewert Pl. *Oxfd* —5A **6**
Ewin Clo. *Mars* —1E **11**
Exeter College. —5B **10** (3D **3**)
Eynsham Rd. *Bot & Farm* —1A **14**
Eyot Pl. *Oxfd* —2D **17**

Faber Clo. *Oxfd* —2B **22**
Fairacres Rd. *Oxfd* —3E **17**
Fairfax Av. *Mars* —2D **11**
Fairfax Rd. *Oxfd* —3D **19**
Fairlawn End. *Oxfd* —2E **5**

Fairlie Rd. *Oxfd* —1A **22**
Fair Vw. *Head* —2C **18**
Falcon Clo. *Oxfd* —2C **22**
Fane Rd. *Mars* —1D **11**
Fanshawe Pl. *Oxfd* —4D **19**
Farm Clo. *Oxfd* —3E **23**
Farmer Pl. *Mars* —2E **11**
Farm Rd. *Head* —2F **13**
Farndon Rd. *Oxfd* —2A **10**
Faulkner St. *Oxfd* —1B **16** (5C **2**)
Feilden Gro. *Head* —3F **11**
Fern Hill Rd. *Oxfd* —4C **18**
Ferry Hinksey Rd. *Oxfd* —1E **15**
Ferry La. *Mars* —3D **11**
Ferry Pool Rd. *Oxfd* —5B **6**
Ferry Rd. *Mars* —3D **11**
Fettiplace Rd. *Head* —1D **13**
Field Av. *Oxfd* —2E **23**
Fieldfare Rd. *Oxfd* —3D **23**
Field Ho. Dri. *Oxfd* —3F **5**
Fiennes Rd. *Oxfd* —1F **21**
Finch Clo. *Head* —5B **12**
Finmore Rd. *Oxfd* —1C **14**
Firs Mdw. *Oxfd* —4D **23**
First Av. *Head* —1E **19**
Firs, The. *Oxfd* —3A **6**
First Turn. *Oxfd* —3E **5**
Fir Trees. *Ken* —5D **21**
Fitzherbert Clo. *Oxfd* —5E **17**
Five Mile Dri. *Oxfd* —2E **5**
Flaxfield Rd. *Oxfd* —2E **23**
Fletcher Rd. *Oxfd* —3D **19**
Flexney Pl. *Head* —5C **12**
Florence Pk. Rd. *Oxfd* —4A **18**
Floyds Row. *Oxfd* —1B **16** (5D **3**)
Fogwell Rd. *Oxfd* —1A **14**
Folly Bri. *Oxfd* —1B **16**
Forest Rd. *Head* —3E **13**
Forest Side. *Ken* —2C **20**
Forget-Me-Not Way. *Oxfd* —3D **23**
Fortnam Clo. *Head* —3A **12**
Fourth Av. *Head* —1E **19**
Foxcombe Rd. *Boar H* —2A **20**
Fox Cres. *Oxfd* —4D **17**
Fox Furlong. *Lit* —3F **21**
Foxton Clo. *Oxfd* —2E **5**
Foxwell Dri. *Head* —1A **12**
Franklin Rd. *Head* —3A **12**
Frederick Rd. *Oxfd* —5C **18**
Freelands Rd. *Oxfd* —4E **17**
Frenchay Rd. *Oxfd* —1A **10**
Frewin Ct. *Oxfd* —5B **10** (3C **2**)
Friars Entry. *Oxfd* —5B **10** (3C **2**)
Friars Wharf. *Oxfd* —1B **16** (5C **2**)
Frys Hill. *Oxfd* —3D **23**
Furlong Clo. *Oxfd* —1C **22**
Fyfield Rd. *Oxfd* —2B **10**

Gaisford Rd. *Oxfd* —5B **18**
Galpin Clo. *Oxfd* —2F **17**

Gardiner St. *Head* —4C **12**
Garford Rd. *Oxfd* —1B **10**
Garsington Rd. *Cowl & Oxfd* —4C **18**
Garth, The. *Oxfd* —1C **14**
Gathorne Rd. *Head* —4C **12**
Gentian Rd. *Oxfd* —2E **23**
George Moore Clo. *Oxfd* —3F **17**
George St. *Oxfd* —5A **10** (3B **2**)
George St. M. *Oxfd* —5A **10** (3B **2**)
Gerard Pl. *Oxfd* —4B **18**
Gibbs Cres. *Oxfd* —1A **16** (5A **2**)
Giles Clo. *Oxfd* —2A **22**
Giles Rd. *Oxfd* —2B **22**
Gillians Way. *Oxfd* —3A **18**
Gipsy La. *Head* —4A **12**
Girdlestone Clo. *Head* —5C **12**
Girdlestone Rd. *Head* —5C **12**
Gladstone Rd. *Head* —3D **13**
Glanville Rd. *Oxfd* —2A **18**
Glebelands. *Head* —1C **18**
Glebe St. *Oxfd* —5E **11**
Gloucester Grn. *Oxfd* —5B **10** (3C **2**)
Gloucester La. *Oxfd* —5A **10** (3B **2**)
Gloucester Pl. *Oxfd* —5B **10** (3C **2**)
Gloucester St. *Oxfd* —5B **10** (3C **2**)
Godstow Rd. *Wolv* —4B **4**
Golden Cross, The. *Oxfd*
　　　　　　　　　　—5B **10** (3D **3**)
Golden Rd. *Oxfd* —2F **17**
Goodey Clo. *Lit* —1B **22**
Goodson Wlk. *Mars* —2E **11**
Goose Grn. Clo. *Oxfd* —3D **5**
Gordon Clo. *Mars* —1E **11**
Gordon St. *Oxfd* —3C **16**
Gorseleas. *Head* —1A **12**
Goslyn Clo. *Head* —5C **12**
Gouldland Gdns. *Head* —1A **12**
Grange Ct. *Bot* —1A **14**
Grange Rd. *Oxfd* —2A **22**
Granville Ct. *Head* —5F **11**
Grates, The. *Oxfd* —5B **18**
Grays Rd. *Head* —4A **12**
Gt. Clarendon St. *Oxfd*
　　　　　　　　　　—4A **10** (2A **2**)
Gt. Mead. *Oxfd* —5A **10** (3A **2**)
Grebe Clo. *Oxfd* —3D **23**
Green College. —3A **10**
Greenfinch Clo. *Oxfd* —3E **23**
Green Hill. *Oxfd* —2F **23**
Green La. *Bot* —1A **14**
Green Pl. *Oxfd* —3C **16**
Grn. Ridges. *Head* —2F **13**
Green Rd. *Head* —3E **13**
　(in two parts)
Green St. *Oxfd* —1F **17**
Grenoble Rd. *Oxfd* —3B **22**
Greyfriars. —2E **17**
Grosvenor Rd. *Oxfd* —3D **15**
Grovelands Rd. *Head* —4F **13**
Grove St. *Oxfd* —4A **6**
Grundy Cres. *Ken* —3D **21**

Grunsell Clo. *Head* —1B **12**
Guelder Rd. *Oxfd* —3C **22**
Gurden Pl. *Head* —2D **13**
Gurl Clo. *Head* —2D **13**
Gwyneth Rd. *Oxfd* —2F **21**

Hadow Rd. *Mars* —2F **11**
Haldane Rd. *Oxfd* —1E **23**
Halliday Hill. *Head* —1A **12**
Hall Pl. *Head* —3F **13**
Halls Clo. *Oxfd* —3A **14**
Hamel, The. *Oxfd* —5A **10** (4B **2**)
Hamilton Rd. *Oxfd* —4A **6**
Hampden Rd. *Oxfd* —5B **18**
Handlo Pl. *Head* —2E **13**
Harberton Mead. *Head* —3E **11**
Harbord Rd. *Oxfd* —1F **5**
Harcourt Hill. *Oxfd* —3C **14**
Harcourt Ter. *Head* —4A **12**
Hardings Clo. *Oxfd* —1A **22**
Harebell Rd. *Oxfd* —2E **23**
Harefields. *Oxfd* —2F **5**
Harley Rd. *Oxfd* —5E **9**
Harlow Way. *Mars* —4E **7**
Harolde Clo. *Head* —2D **13**
Harold Hicks Pl. *Oxfd* —2E **17**
Harold White Clo. *Head* —4E **13**
Harpes Rd. *Oxfd* —3A **6**
Harpsichord Pl. *Oxfd* —5E **11**
Harris Manchester College.
　　　　　　　　　　—4C **10** (2E **3**)
Harrow Rd. *Oxfd* —1E **23**
Hartley Ct. *Oxfd* —2A **10**
Hartley Russell Clo. *Oxfd* —4E **17**
Hart St. *Oxfd* —4A **10** (1A **2**)
Hart St. Pas. *Oxfd* —1A **2**
Haslemere Gdns. *Oxfd* —1F **5**
Hastoe Grange. *Head* —2F **11**
Havelock Rd. *Oxfd* —4B **18**
Hawkins St. *Oxfd* —2E **17**
Hawksmoor Rd. *Oxfd* —2A **6**
Hawkswell Gdns. *Oxfd* —4B **6**
Hawthorn Av. *Head* —3C **12**
Hawthorn Clo. *Oxfd* —1C **14**
Hayes Clo. *Mars* —3E **11**
Hayfield Rd. *Oxfd* —1A **10**
Haynes Rd. *Mars* —1D **11**
Hayward Rd. *Oxfd* —1F **5**
Hazelnut Path. *Ken* —5D **21**
Hazel Rd. *Oxfd* —5B **8**
Headington Hill. *Head* —4F **11**
Headington Rd. *Head* —5E **11**
Headley Way. *Head* —2F **11**
Heath Clo. *Head* —1C **18**
Heather Pl. *Mars* —2E **11**
Hedges Clo. *Head* —3D **13**
Helen Rd. *Oxfd* —5E **9**
Helleborine Clo. *Oxfd* —3E **23**
Hendred St. *Oxfd* —3A **18**
Hengrove Clo. *Head* —2C **12**

Henley Av. *Oxfd* —4F **17**
Henley Rd. *Sand T* —4F **21**
Henley St. *Oxfd* —2E **17**
Henry Rd. *Oxfd* —5E **9**
Henry Taunt Clo. *Head* —1D **13**
Herbert Clo. *Oxfd* —2A **18**
Hernes Clo. *Oxfd* —3A **6**
Hernes Cres. *Oxfd* —3A **6**
Hernes Rd. *Oxfd* —3A **6**
Heron Pl. *Oxfd* —3A **6**
Herschel Cres. *Oxfd* —1B **22**
Hertford College. —5C **10** (3E **3**)
Hertford St. *Oxfd* —2F **17**
Heyford Hill La. *Lit* —2E **21**
Heyford Hill Roundabout. *Lit* —2E **21**
Hid's Copse Rd. *Oxfd* —2A **14**
High Cross Way. *Head* —1D **13**
Highfield Av. *Head* —4B **12**
High St. *Oxfd* —5B **10** (4D **3**)
Hillsborough Clo. *Oxfd* —1A **22**
Hillsborough Rd. *Oxfd* —5A **18**
Hill Side. *Oxfd* —3A **14**
Hill Top Rd. *Oxfd* —1A **18**
Hill Vw. *Head* —2F **13**
Hillview Rd. *Oxfd* —5F **9**
Hinksey Hill. *Oxfd* —2A **20**
Hinksey Hill Interchange. *Oxfd* —1B **20**
History of Science Mus.
—5C **10** (3E **3**)
Hobby Ct. *Oxfd* —3E **23**
Hobson Rd. *Oxfd* —4A **6**
Hockmore St. *Oxfd* —5B **18**
Hodges Ct. *Oxfd* —2B **16**
Holland Pl. *Head* —1D **19**
Holley Cres. *Head* —3C **12**
Hollow Way. *Cowl* —4C **18**
Hollybush Row. *Oxfd* —5A **10** (4A **2**)
Holtweer Clo. *Oxfd* —2A **6**
Holyoake Rd. *Head* —3C **12**
Holywell Quad. *Oxfd* —4C **10** (2F **3**)
Holywell St. *Oxfd* —4C **10** (2E **3**)
Home Clo. *Wolv* —3C **4**
Homestall Clo. *Oxfd* —5A **8**
Honeysuckle Gro. *Oxfd* —2F **23**
Hornbeam Dri. *Oxfd* —2F **23**
Horseman Clo. *Head* —1E **11**
Horspath Driftway. *Head* —2D **19**
Horspath Rd. *Oxfd* —3C **18**
Horspath Rd. Ind. Est. *Cowl* —3E **19**
Horwood Clo. *Head* —3B **12**
Hosker Clo. *Head* —2F **13**
Howard St. *Oxfd* —3E **17**
Hugh Allen Cres. *Mars* —3E **11**
Humfrey Rd. *Head* —2E **13**
Hundred Acres Clo. *Head* —2D **19**
Hunsdon Rd. *Oxfd* —5F **17**
Hunter Clo. *Oxfd* —3D **19**
Hurst La. *C'nr* —3A **14**
Hurst Ri. Rd. *Oxfd* —2B **14**
Hurst St. *Oxfd* —1E **17**
Hutchcombe Farm Clo. *Oxfd* —2B **14**

Hutchcomb Rd. *Oxfd* —1B **14**
Hyacinth Wlk. *Oxfd* —4D **23**
Hythe Bri. St. *Oxfd* —5A **10** (3A **2**)

Iffley Rd. *Oxfd* —1D **17**
Iffley Turn. *Oxfd* —4F **17**
Ilsley Rd. *Head* —2D **13**
Ingle Clo. *Head* —2A **12**
Inott Furze. *Head* —2C **18**
Isis Bus. Cen. *Cowl* —3E **19**
Islip Pl. *Oxfd* —3A **6**
Islip Rd. *Oxfd* —3A **6**
Ivy La. *Head* —2B **12**

Jack Argent Clo. *Oxfd* —3E **23**
Jackdaw La. *Oxfd* —2D **17**
Jackson Dri. *Ken* —2C **20**
Jackson Rd. *Oxfd* —2A **6**
Jack Straw's La. *Head* —3E **11**
James St. *Oxfd* —1E **17**
James Wolfe Rd. *Oxfd* —2D **19**
Jasmine Clo. *Oxfd* —2E **23**
Jericho St. *Oxfd* —4A **10** (1A **2**)
Jersey Rd. *Oxfd* —1F **21**
Jessops Clo. *Head* —1E **11**
Jesus College. —5B **10** (3D **3**)
Jeune St. *Oxfd* —1E **17**
Joan Lawrence Pl. *Head* —5D **13**
John Allen Cen. *Oxfd* —4B **18**
John Buchan Rd. *Head* —1A **12**
John Garne Way. *Head & Oxfd* —4E **11**
John Piers La. *Oxfd* —4B **16**
John Smith Dri. *Oxfd S* —5C **18**
John Snow Pl. *Head* —3D **13**
John Towle Clo. *Oxfd* —4C **16**
Jordan Hill Bus. Pk. *Oxfd* —1F **5**
Jordan Hill Rd. *Oxfd* —1F **5**
Jourdain Rd. *Oxfd* —1E **23**
Jowett Wlk. *Oxfd* —4C **10** (2F **3**)
Jubilee Ter. *Oxfd* —1B **16**
Junction Rd. *Oxfd* —3C **18**
Juniper Dri. *Oxfd* —2E **23**
Juxon St. *Oxfd* —3F **9** (1A **2**)

Kames Clo. *Oxfd* —4A **18**
Keble College. —4B **10** (1D **3**)
Keble Rd. *Oxfd* —4B **10** (1C **2**)
Keene Clo. *Sand T* —4A **22**
Kelburne Rd. *Oxfd* —5A **18**
Kellogg College. —4B **10** (1C **2**)
Kempson Cres. *Oxfd* —2F **21**
Kendall Cres. *Oxfd* —2A **6**
Kenilworth Av. *Oxfd* —2A **18**
Kenilworth Ct. *Oxfd* —2A **18**
Kennedy Clo. *Oxfd* —2D **19**
Kennett Rd. *Head* —3B **12**
Kennington Rd. *Ken* —5D **21**
Kennington Rd. *Oxfd & Ken* —5C **16**

Kennington Roundabout—Mallard Clo.

Kennington Roundabout. *Ken* —5C **16**
Kent Clo. *Oxfd* —1D **23**
Kenville Rd. *Ken* —2C **20**
Kersington Cres. *Oxfd* —1C **22**
Kestrel Cres. *Oxfd* —2C **22**
Kiln Cvn. Pk. *Sand T* —4A **22**
Kiln Clo. *Sand T* —4B **22**
Kiln La. *Head* —4E **13**
Kineton Rd. *Oxfd* —2B **16**
King Edward St. *Oxfd* —5C **10** (4E **3**)
Kingfisher Grn. *Oxfd* —3E **23**
King George's Wlk. *Oxfd* —4A **6**
Kings Cross Rd. *Oxfd* —3A **6**
Kings Mdw. *Oxfd* —1E **15**
King's Mill La. *Head* —4E **11**
Kingston Ct. *Oxfd* —3A **10**
Kingston Rd. *Oxfd* —2A **10**
King St. *Oxfd* —3A **10** (1A **2**)
Kirby Pl. *Oxfd* —4C **18**
Kirk Clo. *Ken* —4D **21**
Kirk Clo. *Oxfd* —2F **5**
Knights Rd. *Oxfd* —3C **22**
Knolles Rd. *Oxfd* —4B **18**
Kybald St. *Oxfd* —5C **10** (4E **3**)

Laburnum Rd. *Oxfd* —2C **14**
Ladenham Rd. *Oxfd* —1D **23**
  (in two parts)
Lady Margaret Hall. —2C **10**
Lakefield Rd. *Oxfd* —3A **22**
Lakeside. *Oxfd* —1E **5**
Lake St. *Oxfd* —3B **16**
Lamarsh Rd. *Oxfd* —5D **9**
Lambourn Rd. *Oxfd* —1F **21**
Lambton Rd. *Oxfd* —3D **19**
Langley Clo. *Head* —4C **12**
Lanham Way. *Oxfd* —2A **22**
Larch Clo. *Oxfd* —1C **14**
Larches, The. *Head* —3E **13**
Larkfields. *Head* —4D **13**
Larkins La. *Head* —2C **12**
Lathbury Rd. *Oxfd* —1A **10**
Latimer Grange. *Head* —4B **12**
Latimer Rd. *Head* —4B **12**
Laurel Farm Clo. *Head* —2B **12**
Lawrence Rd. *Oxfd* —4B **18**
Leafield Rd. *Oxfd* —3B **18**
Leckford Pl. *Oxfd* —3A **10**
Leckford Rd. *Oxfd* —3A **10**
Ledgers Clo. *Lit & Oxfd* —2B **22**
Leiden Rd. *Head* —1D **19**
Lenthall Rd. *Oxfd* —1E **21**
Leon Clo. *Oxfd* —2E **17**
Leopold St. *Oxfd* —2E **17**
Lewell Av. *Mars* —2E **11**
Lewin Clo. *Oxfd* —5B **18**
Lewis Clo. *Head* —4F **13**
Leys Pl. *Oxfd* —2F **17**
Liddell Rd. *Oxfd* —5B **18**
Liddiard Clo. *Ken* —4D **21**

Lime Rd. *Oxfd* —2C **14**
Lime Wlk. *Head* —4B **12**
Linacre College. —4C **10** (1F **3**)
Lincoln College. —5B **10** (3D **3**)
Lincoln Ct. *Oxfd* —1F **17**
Lincoln Rd. *Oxfd* —4C **16**
Linkside Av. *Oxfd* —1E **5**
Links Rd. *Ken* —5D **21**
Link, The. *Head* —3E **13**
Link, The. *Mars* —2D **11**
Linnet Clo. *Oxfd* —2C **22**
Linton Rd. *Oxfd* —1B **10**
Lit. Acreage. *Mars* —5E **7**
Lit. Brewery St. *Oxfd* —5E **11**
Little Bury. *Oxfd* —2F **23**
Lit. Clarendon St. *Oxfd* —4A **10** (1B **2**)
Littlegate St. *Oxfd* —1B **16** (5C **2**)
Littlehay Rd. *Oxfd* —4A **18**
Littlemead Bus. Pk. *Oxfd* —1F **15**
Littlemore Rd. *Oxfd* —5B **18**
Littlemore Roundabout. *Lit* —1A **22**
Lobelia Rd. *Oxfd* —2E **23**
Lockheart Cres. *Oxfd* —5C **18**
Lodge Clo. *Mars* —4E **7**
London Pl. *Oxfd* —5E **11**
London Rd. *Head* —4B **12**
Long Clo. *Bot* —5A **8**
Long Clo. *Head* —1D **19**
Longford Clo. *Oxfd* —2B **16**
Long Ground. *Oxfd* —3D **23**
Longlands Rd. *Oxfd* —1D **23**
Long La. *Oxfd* —1B **22**
Long Wall. *Lit* —1A **22**
Longwall St. *Oxfd* —5C **10** (3F **3**)
Longworth Rd. *Oxfd* —3A **10**
Lonsdale Rd. *Oxfd* —4A **6**
Loop Farm Roundabout. *Oxfd* —1D **5**
Lovelace Rd. *Oxfd* —2F **5**
Lovelace Sq. *Oxfd* —2F **5**
Love La. *Oxfd* —4C **10** (1E **3**)
Lwr. Fisher Row. *Oxfd* —5A **10** (3B **2**)
Lucas Pl. *Iff* —4E **17**
Lucerne Rd. *Oxfd* —3B **6**
Luther Ct. *Oxfd* —1B **16** (5D **3**)
Luther St. *Oxfd* —1B **16** (5D **3**)
Lydia Clo. *Head* —2E **13**
Lye Valley. *Head* —1C **18**
Lyndworth Clo. *Head* —2D **13**
Lyndworth M. *Head* —2D **13**
Lynn Clo. *Mars* —2E **11**
Lytton Rd. *Oxfd* —4F **17**

Magdalen College. —5D **11** (3F **3**)
Magdalen Rd. *Oxfd* —2E **17**
Magdalen St. *Oxfd* —5B **10** (2C **2**)
Magpie La. *Oxfd* —5C **10** (4E **3**)
Maidcroft Rd. *Oxfd* —4A **18**
Main Av. *Sand T* —4A **22**
Malford Rd. *Head* —2E **13**
Mallard Clo. *Oxfd* —2C **22**

Maltfield Rd. *Head* —1F **11**
Mandelbrote Dri. *Lit* —3A **22**
Manor Ct. *Head* —3B **12**
Manor Gro. *Ken* —5D **21**
Manor Pl. *Oxfd* —4D **11** (2F **3**)
Manor Rd. *Oxfd* —4D **11** (2F **3**)
Manor Rd. *S Hin* —4A **16**
Mansfield College. —4C **10** (1E **3**)
Mansfield Rd. *Oxfd* —4C **10** (1E **3**)
Manzil Way. *Oxfd* —1F **17**
Maple Clo. *Oxfd* —1C **14**
Margaret Rd. *Head* —4C **12**
Marigold Clo. *Oxfd* —3E **23**
Marjoram Clo. *Oxfd* —2F **23**
Market St. *Oxfd* —5B **10** (3D **3**)
Mark Rd. *Head* —4D **13**
Marlborough Clo. *Lit* —2A **22**
Marlborough Ct. *Oxfd* —5E **9**
Marlborough Rd. *Oxfd* —1B **16**
Marriott Clo. *Oxfd* —2A **6**
Marshall Rd. *Cowl* —3C **18**
Marsh La. *Head* —1F **11**
Marsh Rd. *Oxfd* —3B **18**
Marston Ferry Ct. *Oxfd* —5B **6**
Marston Ferry Rd. *Oxfd* —5B **6**
Marston Rd. *Mars* —5E **11**
Marston St. *Oxfd* —1E **17**
Martin Ct. *Oxfd* —4A **6**
Mascall Av. *Head* —2D **19**
Masons All. *Head* —4D **13**
  (off Quarry School Pl.)
Masons Rd. *Head* —5D **13**
Massey Clo. *Head* —5C **12**
Mather Rd. *Head* —2E **13**
Mattock Clo. *Head* —4C **12**
Mayfair Rd. *Oxfd* —5A **18**
Mayfield Rd. *Farm & Oxfd* —4A **6**
Meaden Hill. *Head* —1A **12**
Meadow La. *Oxfd* —2D **17**
  (in four parts)
Meadow Prospect. *Wolv* —3C **4**
Mdw. View Rd. *Ken* —4D **21**
Medawar Cen. *Oxfd* —3B **22**
Mercury Rd. *Oxfd* —2F **23**
Mere Rd. *Oxfd* —2E **5**
Merewood Av. *Head* —2F **13**
Merlin Rd. *Oxfd* —2D **23**
Merrivale Sq. *Oxfd* —2F **9**
Merton College. —5C **10** (4F **3**)
Merton Ct. *Oxfd* —2F **9**
Merton St. *Oxfd* —5C **10** (4E **3**)
Merton Wlk. *Oxfd* —1C **16** (5E **3**)
Meyses Clo. *Head* —2D **19**
Middle Way. *Oxfd* —3F **5**
Mileway Gdns. *Head* —5B **12**
Millbank. *Oxfd* —1F **15** (5A **2**)
Millers Acre. *Oxfd* —2A **6**
Mill La. *Iff* —5E **17**
Mill La. *Mars & Old M* —3D **7**
Mill Rd. *Wolv* —3C **4**
Mill Stream Ct. *Wolv* —3C **4**

Mill St. *Oxfd* —5F **9** (4A **2**)
Millway Clo. *Oxfd* —3E **5**
Milne Pl. *Head* —1A **12**
Milton Rd. *Oxfd* —3A **18**
Milvery Way. *Lit* —1A **22**
Minchery Rd. *Oxfd* —2A **22**
Minster Rd. *Oxfd* —1F **17**
Mistletoe Grn. *Oxfd* —3D **23**
Moberly Clo. *Oxfd* —1E **17**
Mole Pl. *Oxfd* —3F **23**
Monks Clo. *Oxfd* —2C **22**
Monmouth Rd. *Oxfd* —4C **16**
Montagu Rd. *Oxfd* —1C **14**
Moody Rd. *Head* —3E **11**
Moorbank. *Oxfd* —1D **23**
  (in two parts)
Moorhen Wlk. *Oxfd* —3D **23**
Moreton Rd. *Oxfd* —5A **6**
Morrell Av. *Oxfd* —5E **11**
Morrell Cres. *Lit* —2F **21**
Morris Cres. *Oxfd* —3A **18**
Mortimer Dri. *Mars* —2D **11**
Mortimer Rd. *Oxfd* —1E **21**
Mount St. *Oxfd* —4F **9** (1A **2**)
Mulberry Ct. *Oxfd* —3F **5**
Murray Ct. *Oxfd* —1B **10**
Museum Rd. *Oxfd* —4B **10** (1D **3**)

Napier Rd. *Oxfd* —5C **18**
Nelson St. *Oxfd* —4A **10** (2A **2**)
Nether Dorford Clo. *Head* —2D **19**
Netherwoods Rd. *Head* —4E **13**
Nettlebed Mead. *Oxfd* —3D **23**
New College. —5C **10** (3F **3**)
New College La. *Oxfd* —5C **10** (3E **3**)
Newcombe Ct. *Oxfd* —4F **5**
New Cross Rd. *Head* —3D **13**
New High St. *Head* —4B **12**
New Inn Hall St. *Oxfd* —5B **10** (3C **2**)
Newlin Clo. *Oxfd* —1E **21**
Newman Rd. *Oxfd* —1A **22**
New Rd. *Oxfd* —5A **10** (3B **2**)
Newton Rd. *Oxfd* —2B **16**
New Wlk., The. *Oxfd* —1C **16** (5E **3**)
Nicholas Av. *Mars* —2E **11**
Nicholson Rd. *Mars* —3E **11**
Nightingale Av. *Oxfd* —3E **23**
Ninth Av. *Head* —2E **19**
Nixon Rd. *Oxfd* —4E **17**
Nobles Clo. *Oxfd* —1A **14**
Norfolk St. *Oxfd* —1B **16** (5C **2**)
Norham End. *Oxfd* —2C **10**
Norham Gdns. *Oxfd* —3B **10**
Norham M. *Oxfd* —2C **10**
Norham Rd. *Oxfd* —2B **10**
Normandy Cres. *Oxfd* —4D **19**
Norman Smith Clo. *Oxfd* —3E **23**
Norreys Av. *Oxfd* —3C **16**
Northampton Rd. *Oxfd* —4C **16**
Northern By-Pass Rd. *Oxfd* —3C **6**

Northern By-Pass Rd. *Wyth & Oxfd*
—1A **4**
Northfield Clo. *Oxfd* —2B **22**
North Fld. Rd. *Head* —2D **13**
N. Hinksey La. *Bot & Oxfd* —5C **8**
N. Hinksey Village. *Oxfd* —2E **15**
Northmoor Pl. *Oxfd* —1B **10**
Northmoor Rd. *Oxfd* —1B **10**
North Pde. Av. *Oxfd* —2B **10**
North Pl. *Head* —3C **12**
North St. *Oxfd* —5F **9**
North Way. *Head* —2C **12**
(in three parts)
North Way. *Oxfd* —2E **5**
Norton Clo. *Head* —4C **12**
Nowell Rd. *Oxfd* —1E **21**
Nuffield College. —5A **10** (3B **2**)
Nuffield Ind. Est. *Lit* —2B **22**
Nuffield Rd. *Head* —1D **19**
Nunnery Clo. *Oxfd* —2C **22**
Nursery Clo. *Head* —4B **12**
Nuthatch Clo. *Oxfd* —3D **23**
Nyebevan Clo. *Oxfd* —1F **17**

Oak Av. *Ken* —5D **21**
Oakham M. *Oxfd* —1B **10**
Oakthorpe Pl. *Oxfd* —5A **6**
Oakthorpe Rd. *Oxfd* —5A **6**
Oatlands Rd. *Oxfd* —5E **9**
Observatory St. *Oxfd* —3A **10**
Old Barn Ground. *Head* —2E **19**
Old Bodleian Library. —5C **10** (3E **3**)
Old Botley. *Oxfd* —5C **8**
Old Greyfriars St. *Oxfd* —1B **16** (5C **2**)
Old High St. *Head* —2C **12**
Old Marston Rd. *Mars* —2E **11**
Old Nursery Vw. *Ken* —1C **20**
Old Rd. *Head* —5A **12**
Old School. *Oxfd* —3B **18**
Oliver Rd. *Oxfd* —4D **19**
Orchard Rd. *Oxfd* —2A **14**
Orchard Way. *Oxfd* —1B **22**
Oriel College. —5C **10** (4E **3**)
Oriel Sq. *Oxfd* —5C **10** (4E **3**)
Oriel St. *Oxfd* —5C **10** (4E **3**)
Osberton Rd. *Oxfd* —4F **5**
Osborne Clo. *Oxfd* —3E **5**
Osler Rd. *Head* —3A **12**
(in two parts)
Osney La. *Oxfd* —5F **9** (4A **2**)
(in two parts)
Osney Mead. *Oxfd* —1F **15** (5A **2**)
Osney Mead Ind. Est. *Oxfd*
—1F **15** (5A **2**)
Osney M. *Oxfd* —5F **9**
Oswestry Rd. *Oxfd* —4C **16**
Otters Reach. *Ken* —3D **21**
Ouseley Clo. *Mars* —2E **11**
Outram Rd. *Oxfd* —4A **18**
Oval, The. *Oxfd* —1F **21**

Overbrook Gdns. *Oxfd* —2F **23**
Overdale Clo. *Head* —2D **13**
Overmead Grn. *Oxfd* —2D **23**
Owlington Clo. *Oxfd* —5B **8**
Oxeye Ct. *Oxfd* —3D **23**
Oxford Bus. Cen. *Oxfd* —1A **16** (5A **2**)
Oxford Bus. Pk. *Cowl* —4D **19**
(in two parts)
Oxford Cathedral. —1C **16** (5E **3**)
Oxford Divinity School. —5C **10** (3E **3**)
(off Brasenose La)
Oxford Retail Pk. *Cowl* —1D **23**
Oxford Rd. *Cowl* —4E **19**
(OX4)
Oxford Rd. *Cowl* —1E **23**
(OX44)
Oxford Rd. *C'nr & Farm* —1F **5**
Oxford Rd. *Lit* —1A **22**
Oxford Rd. *Old M* —5E **7**
Oxford Rd. *Oxfd* —2A **20**
(OX1)
Oxford Rd. *Oxfd* —3B **18**
(OX4)
Oxfordshire & Bucks. Light Infantry
Reg. Mus. —2D 19
Oxford University Botanic Garden.
—5D **11** (5F **3**)
Oxpens Rd. *Oxfd* —1A **16** (4A **2**)

Paddock, The. *Ken* —5D **21**
Paddox Clo. *Oxfd* —3F **5**
Paddox, The. *Oxfd* —3F **5**
Paget Rd. *Oxfd* —4D **19**
Palmer Rd. *Head* —5D **13**
Paradise Sq. *Oxfd* —1A **16** (5B **2**)
Paradise St. *Oxfd* —5A **10** (4B **2**)
Park Clo. *Oxfd* —1A **6**
Pk. End Pl. *Oxfd* —5A **10** (4B **2**)
Pk. End St. *Oxfd* —5A **10** (3A **2**)
Parker Rd. *S Hin* —4A **16**
Parker St. *Oxfd* —3E **17**
Parks Rd. *Oxfd* —3B **10** (1D **3**)
Park Town. *Oxfd* —2B **10**
Park Way. *Mars* —4E **7**
Parmoor Ct. *Oxfd* —4A **6**
Parry Clo. *Mars* —3E **11**
Parsons Pl. *Oxfd* —1F **17**
Partridge Wlk. *Oxfd* —3F **23**
Pattison Pl. *Oxfd* —1F **21**
Pauling Rd. *Head* —5D **13**
Peacock Rd. *Head* —3E **11**
Peartree Clo. *Oxfd* —3E **23**
Peartree Hill Roundabout. *Oxfd* —1D **5**
Peat Moors. *Head* —1C **18**
Peel Pl. *Oxfd* —4C **16**
Pegasus Ct. *Oxfd* —2E **23**
Pegasus Grange. *Oxfd* —2B **16**
Pegasus Rd. *Oxfd* —2D **23**
Pembroke College. —1B **16** (5D **3**)
Pembroke Ct. *Oxfd* —1E **17**

Pembroke Sq. *Oxfd* —1B **16** (5D **3**)
Pembroke St. *Oxfd* —5B **10** (4D **3**)
Pennycress Rd. *Oxfd* —2F **23**
Pennyfarthing Pl. *Oxfd* —4C **2**
Pennywell Dri. *Oxfd* —2A **6**
Penson's Gdns. *Oxfd* —5D **11**
Peppercorn Av. *Head* —1D **19**
Percy St. *Oxfd* —3E **17**
Peregrine Rd. *Oxfd* —2C **22**
Periwinkle Pl. *Oxfd* —2E **23**
Perrin St. *Head* —4B **12**
Peterley Rd. *Cowl* —3E **19**
Peter Medawar Rd. *Oxfd* —3B **22**
Peters Way. *Oxfd* —1B **22**
Pether Rd. *Head* —5D **13**
Pheasant Wlk. *Lit* —3F **21**
Phelps Pl. *Oxfd* —5E **11**
Phipps Rd. *Oxfd* —5C **18**
Phoebe Ct. *Oxfd* —1F **9**
Pickett Av. *Head* —2D **19**
Pike Ter. *Oxfd* —1B **16** (5C **2**)
Pimpernel Clo. *Oxfd* —2F **23**
Pine Clo. *Oxfd* —1E **23**
Pinnock's Way. *Oxfd* —1A **14**
Piper St. *Head* —4C **12**
Pipit Clo. *Oxfd* —3D **23**
Pipkin Way. *Oxfd* —3F **17**
Pitt Rivers Mus. Balfour Building. —3B **10**
Pitts Rd. *Head* —3D **13**
Pixey Pl. *Oxfd* —3E **5**
Plain, The. *Oxfd* —5D **11**
Plantation Rd. *Oxfd* —3A **10**
Plater Dri. *Oxfd* —2F **9**
Playfield Rd. *Ken* —5D **21**
Plough Clo. *Wolv* —3E **5**
Plover Dri. *Oxfd* —3D **23**
Pochard Pl. *Oxfd* —3E **23**
Polstead Rd. *Oxfd* —2A **10**
Pond Clo. *Head* —3F **13**
Ponds La. *Mars* —5E **7**
Pony Rd. *Cowl* —3E **19**
Poplar Gro. *Ken* —3D **21**
Poplar Rd. *Oxfd* —5B **8**
Portland Rd. *Oxfd* —4A **6**
Pottery Piece. *Oxfd* —3D **23**
Pottle Clo. *Oxfd* —5A **8**
Poulton Pl. *Oxfd* —1E **23**
Pound Fld. Clo. *Head* —1D **13**
Pound Way. *Cowl & Oxfd* —5B **18**
Preachers La. *Oxfd* —1B **16** (5C **2**)
Prestwich Pl. *Oxfd* —5E **9**
Prichard Rd. *Head* —3F **11**
Primrose Pl. *Oxfd* —3E **23**
Princes St. *Oxfd* —1E **17**
Priors Forge. *Oxfd* —2A **6**
Priory Rd. *Oxfd* —2B **22**
Prunus Clo. *Oxfd* —1E **23**
Pulker Clo. *Oxfd* —5B **18**
Pullens Fld. *Head* —4F **11**
Pullens La. *Head* —4F **11**

Purcell Rd. *Mars* —3E **11**
Purland Clo. *Oxfd* —3B **18**
Pusey La. *Oxfd* —4B **10** (2C **2**)
Pusey Pl. *Oxfd* —4B **10** (2C **2**)
Pusey St. *Oxfd* —4B **10** (2C **2**)

Quarry High St. *Head* —4D **13**
Quarry Hollow. *Head* —4D **13**
Quarry Rd. *Head* —4D **13**
Quarry School Pl. *Head* —4D **13**
Quartermain Clo. *Oxfd* —3F **17**
Queens Clo. *Oxfd* —1A **14**
Queen's College. —5C **10** (3F **3**)
Queens La. *Oxfd* —5C **10** (3E **3**)
Queen St. *Oxfd* —5B **10** (4C **2**)

Radcliffe Camera. —5C **10** (3E **3**)
(off Radcliffe Sq)
Radcliffe Pl. *Mars* —5E **7**
Radcliffe Rd. *Oxfd* —4E **17**
Radcliffe Sq. *Oxfd* —5C **10** (3E **3**)
Radford Clo. *Oxfd* —1E **21**
Rahere Rd. *Oxfd* —5B **18**
Railway La. *Lit & Oxfd* —2F **21**
Raleigh Pk. Rd. *Oxfd* —2D **15**
Rampion Clo. *Oxfd* —2F **23**
Ramsay Rd. *Head* —3D **13**
Randolph St. *Oxfd* —2E **17**
Rawlinson Rd. *Oxfd* —1A **10**
Rawson Clo. *Oxfd* —2E **5**
Raymund Rd. *Mars & Old M* —1E **11**
Rectory Rd. *Oxfd* —1E **17**
Red Bri. Hollow. *Oxfd* —5B **16**
Rede Clo. *Head* —5D **13**
Redland Rd. *Head* —1A **12**
Red Lion Sq. *Oxfd* —5B **10** (3C **2**)
Redmoor Clo. *Oxfd* —2B **22**
Redwood Clo. *Oxfd* —2F **23**
Reedmace Clo. *Oxfd* —2F **23**
Regent's Park College. —4B **10** (2C **2**)
Regent St. *Oxfd* —2E **17**
Remy Pl. *Iff* —4E **17**
Rest Harrow. *Oxfd* —2E **23**
Rewley Abbey Ct. *Oxfd* —5A **10** (3A **2**)
Rewley Rd. *Oxfd* —5A **10** (3A **2**)
Rhodes House. —4C **10** (1E **3**)
Richards La. *Oxfd* —4F **5**
Richards Way. *Head* —4E **13**
Richmond Rd. *Oxfd* —4A **10** (2B **2**)
Rickyard Clo. *Oxfd* —5A **10** (3A **2**)
Riddell Pl. *Oxfd* —2F **5**
Ridgefield Rd. *Oxfd* —2F **17**
Ridgemont Clo. *Oxfd* —4F **5**
Ridgeway Rd. *Head* —3E **13**
Ridings, The. *Head* —5E **13**
Ridley Rd. *Oxfd* —3D **19**
Rimmer Clo. *Mars* —1E **11**
Ringwood Rd. *Head* —3F **13**
Rippington Dri. *Mars* —2E **11**

Rivermead Rd. *Oxfd* —1E **21**
Riverside Ct. *Oxfd* —1B **16**
Riverside Rd. *Oxfd* —5E **9**
River Vw. *Ken* —3D **21**
Riverview. *Sand T* —5F **21**
Robertboyle Rd. *Oxfd* —3A **22**
Robert Robinson Av. *Oxfd* —3B **22**
Roberts Clo. *Head* —2F **13**
Robin Pl. *Oxfd* —3D **23**
Rock Edge. *Head* —5C **12**
Rock Farm La. *Sand T* —4A **22**
Rodley Ho. *Oxfd* —5B **6**
Roger Bacon La. *Oxfd* —5B **10** (5C **2**)
Roger St. *Oxfd* —4A **6**
Rolfe Pl. *Head* —3F **11**
Roman Way. *Cowl* —4E **19**
Roosevelt Dri. *Head* —5A **12**
Rosamund Rd. *Wolv* —3C **4**
Rose Gdns. *Oxfd* —1B **14**
Rose Hill. *Oxfd* —5F **17**
Rose La. *Oxfd* —5C **10** (4F **3**)
Rosemary Ct. *Oxfd* —2E **17**
Rose Pl. *Oxfd* —1B **16** (5D **3**)
  (in two parts)
Rothafield Rd. *Oxfd* —2F **5**
Rotunda Mus. of Antique Dolls Houses.
—5F **17**
Roundway Way. *Head* —3E **13**
Routh Rd. *Head* —2E **13**
Rowan Gro. *Oxfd* —3F **23**
Rowland Clo. *Wolv* —3D **5**
Rowles Clo. *Ken* —3D **21**
Rowney Pl. *Oxfd* —5F **17**
Rupert Rd. *Oxfd* —3D **19**
Russell Ct. *Oxfd* —2A **10**
Russell St. *Oxfd* —5F **9** (4A **2**)
Rutherway. *Oxfd* —3F **9**
Rymers La. *Oxfd* —3A **18**

Sadler Wlk. *Oxfd* —1A **16** (5B **2**)
Sage Wlk. *Oxfd* —3E **23**
St Aldates. *Oxfd* —5B **10** (4D **3**)
St Andrew's La. *Head* —2C **12**
St Andrew's Rd. *Head* —2B **12**
St Anne's College. —3B **10**
St Anne's Rd. *Head* —4C **12**
St Antony's College. —3A **10**
St Barnabas St. *Oxfd* —4A **10** (1A **2**)
St Benet's Hall. —4B **10** (1C **2**)
  (off St.Giles)
St Bernards Rd. *Oxfd* —3A **10**
St Catherine's College. —4D **11**
St Christophers Pl. *Oxfd* —3C **18**
St Clement's St. *Oxfd* —1D **17**
St Cross College. —4B **10** (2C **2**)
St Cross Rd. *Oxfd* —4C **10** (1F **3**)
St Ebbes St. *Oxfd* —5B **10** (4C **2**)
St Edmunds Hall. —5C **10** (3F **3**)
St Edwards Av. *Oxfd* —4F **5**
St Edwards Ct. *Oxfd* —5A **6**

St Francis Ct. *Head* —2D **19**
St Georges Pl. *Oxfd* —5B **10** (3C **2**)
St Giles. *Oxfd* —4B **10** (1C **2**)
St Hilda's College. —1D **17** (5F **3**)
St Hugh's College. —2A **10**
St John's College. —4B **10** (2D **3**)
St John St. *Oxfd* —4B **10** (2C **2**)
St Lawrence Rd. *Oxfd* —4A **16**
St Leonard's Rd. *Head* —4C **12**
St Luke's Rd. *Oxfd* —4B **18**
St Margaret's Rd. *Oxfd* —2A **10**
St Martin's Rd. *Oxfd* —1F **21**
St Mary's Clo. *Oxfd* —2A **22**
St Mary's Rd. *Oxfd* —1E **17**
St Michael's St. *Oxfd* —5B **10** (3C **2**)
St Nicholas Cvn. Pk. *Mars* —4E **7**
St Nicholas Rd. *Oxfd* —2A **22**
St Paul's Cres. *Oxfd* —1C **14**
St Peter's College. —5B **10** (4C **2**)
St Peter's Rd. *Oxfd* —3E **5**
St Swithun's Rd. *Ken* —4D **21**
St Thomas' St. *Oxfd* —5A **10** (4A **2**)
Salegate La. *Oxfd* —4C **18**
Salesian Gdns. *Oxfd* —3C **18**
Salford Rd. *Mars* —2D **11**
Salisbury Cres. *Oxfd* —3A **6**
Salter Clo. *Oxfd* —2B **16**
Samphire Rd. *Oxfd* —2E **23**
Sandfield Rd. *Head* —3A **12**
Sandford La. *Ken* —5D **21**
Sandford La. Ind. Est. *Ken* —5E **21**
Sandford Link Rd. *Lit* —2F **21**
Sandford Rd. *Lit* —3F **21**
Sandy La. *Lit & Oxfd* —1D **23**
Sandy La. W. *Lit & Oxfd* —1B **22**
Saunders Rd. *Oxfd* —3A **18**
Savile Rd. *Oxfd* —4C **10** (2E **3**)
Sawpit Rd. *Oxfd* —1D **23**
Saxifrage Sq. *Oxfd* —3D **23**
Saxon Way. *Head* —1A **12**
Scholar Pl. *Oxfd* —2B **14**
School Ct. *Oxfd* —4A **10** (1A **2**)
School Pl. *Oxfd* —3B **16**
Scott Rd. *Oxfd* —3A **6**
Scrutton Clo. *Head* —3D **13**
Seacourt Rd. *Oxfd* —5B **8**
Seacourt Tower. *Oxfd* —5C **8**
Sefton Rd. *Head* —3D **13**
Sermon Clo. *Head* —4E **13**
Seventh Av. *Head* —1E **19**
Shaftesbury Rd. *Head* —1D **13**
Sheepway Ct. *Iff* —5F **17**
Sheldon Way. *Oxfd* —1B **22**
Sheley Clo. *Head* —4E **13**
Shelford Pl. *Head* —5C **12**
Shelley Rd. *Oxfd* —3A **18**
Shepherds Hill. *Oxfd* —3E **23**
Sheriff's Dri. *Oxfd* —3E **5**
Ship St. *Oxfd* —5B **10** (3D **3**)
Shirelake Clo. *Oxfd* —1B **16**
Shirley Pl. *Oxfd* —3A **10**

Shoe La. *Oxfd* —5B **10** (4C **2**)
Shorte Clo. *Head* —2D **19**
Shotover Kilns. *Head* —5E **13**
Shotover Trad. Est. *Head* —5E **13**
Sidney St. *Oxfd* —2E **17**
Silkdale Clo. *Oxfd* —4C **18**
Silver Rd. *Oxfd* —2F **17**
Simpsons Way. *Ken* —4D **21**
Skeene Clo. *Head* —5B **12**
Skylark Pl. *Oxfd* —2C **22**
Slade Clo. *Head* —5C **12**
Slade, The. *Head* —5C **12**
Slaymaker Clo. *Head* —4E **13**
Slipe, The. *Oxfd* —5C **10** (3F **3**)
Snowdon Mede. *Head* —2F **11**
Somerville College. —4B **10** (1C **2**)
Songers Clo. *Oxfd* —2A **14**
Sorrel Rd. *Oxfd* —1E **23**
Southcroft. *Mars* —5E **7**
S. Dale Rd. *Oxfd* —2A **6**
Southern By-Pass Rd. *Oxfd* —5C **8**
Southfield Pk. *Oxfd* —1A **18**
Southfield Rd. *Oxfd* —2F **17**
Southmoor Pl. *Oxfd* —2F **9**
Southmoor Rd. *Oxfd* —3F **9**
South Pde. *Oxfd* —4A **6**
S. Parks Rd. *Oxfd* —4B **10** (1D **3**)
South St. *Oxfd* —1F **15**
Sparrow Way. *Oxfd* —3E **23**
Sparsey Pl. *Oxfd* —2A **6**
Speedwell St. *Oxfd* —1B **16** (5C **2**)
Spencer Cres. *Oxfd* —1F **21**
Spindleberry Clo. *Oxfd* —3C **22**
Spinneyfield. *Oxfd* —3D **23**
Spooner Clo. *Head* —3D **13**
Spring Copse. *Oxfd* —1B **20**
Springfield Rd. *Oxfd* —1B **14**
Spring La. *Head* —3E **13**
  (in two parts)
Spring La. *Lit* —2C **22**
Spruce Gdns. *Oxfd* —4D **23**
Square, The. *Oxfd* —5C **8**
Squitchey La. *Oxfd* —3F **5**
Stable Clo. *Oxfd* —5A **10** (3A **2**)
Stables, The. Head —4E 13
  (off Quarry Hollow)
Stainer Pl. *Mars* —2E **11**
Stainfield Rd. *Head* —1A **12**
Stanley Clo. *Oxfd* —1C **14**
Stanley Rd. *Oxfd* —2E **17**
Stansfeld Pl. *Head* —5D **13**
Stansfield Clo. *Head* —5E **13**
Stanton Rd. *Oxfd* —3D **15**
Stanville Rd. *Oxfd* —2A **14**
Stanway Rd. *Head* —3E **13**
Stapleton Rd. *Head* —4B **12**
Starwort Path. *Oxfd* —2E **23**
Staunton Rd. *Head* —3A **12**
Staverton Rd. *Oxfd* —1A **10**
Steep Ri. *Head* —1B **12**
Stephen Rd. *Head* —3B **12**

Steven's Clo. *Oxfd* —2A **10**
Stewart St. *Oxfd* —3B **16**
Stile Rd. *Head* —3C **12**
Stimpsons Clo. *Oxfd* —5A **8**
Stockleys Rd. *Head* —1F **11**
Stockmore St. *Oxfd* —1D **17**
Stoke Pl. *Head* —2B **12**
Stomer Rd. *Oxfd* —4B **18**
Stone Clo. *Oxfd* —5A **8**
Stone Quarry La. *Oxfd* —5F **17**
Stone St. *Oxfd* —1F **17**
Stonor Pl. *Head* —4A **12**
Stowford Rd. *Head* —2E **13**
Stowood Clo. *Head* —2D **13**
Stratfield Rd. *Oxfd* —4A **6**
Stratford St. *Oxfd* —2D **17**
Strawberry Path. *Oxfd* —2E **23**
Stubble Clo. *Oxfd* —1A **14**
Stubbs Av. *Head* —2D **19**
Sturges Clo. *Head* —2D **13**
Sugworth La. *Ken* —5B **20**
Summerfield. *Oxfd* —3C **16**
Summerfield Rd. *Oxfd* —5A **6**
Summerhill Rd. *Oxfd* —4A **6**
Sunderland Av. *Oxfd* —2E **5**
Sundew Clo. *Oxfd* —2F **23**
Sunningwell Rd. *Oxfd* —4C **16**
Sunnymeade Ct. *Oxfd* —2A **6**
Sunnyside. *Oxfd* —4C **18**
Sutton Rd. *Head* —1A **12**
Swallow Clo. *Oxfd* —3E **23**
Swan Ct. *Oxfd* —5A **10** (4B **2**)
Swan St. *Oxfd* —5F **9**
Sweetmans Rd. *Oxfd* —1C **14**
Swift Clo. *Oxfd* —3F **23**
Swinbourne Rd. *Lit* —2A **22**
Swinburne Rd. *Oxfd* —3E **17**
Sycamore Cres. *Ken* —5D **21**
Sycamore Rd. *Oxfd* —2C **14**

Tackley Pl. *Oxfd* —2A **10**
Taggs Ga. *Head* —1E **13**
Talbot Rd. *Oxfd* —1F **5**
Tarragon Dri. *Oxfd* —3E **23**
Taverner Pl. *Mars* —2E **11**
Tawney St. *Oxfd* —1F **17**
Teal Clo. *Oxfd* —3E **23**
Templar Rd. *Oxfd* —2A **6**
Templars Sq. *Cowl* —5B **18**
Temple Farm Cvn. Pk. *Lit* —4F **21**
Temple Rd. *Oxfd* —3B **18**
Temple St. *Oxfd* —1D **17**
Templeton College. —1C **20**
Tern Wlk. *Oxfd* —3D **23**
Thackley End. *Oxfd* —1A **10**
Thames St. *Oxfd* —1A **16** (5B **2**)
Thames Vw. Rd. *Oxfd* —2E **21**
Third Acre Ri. *Oxfd* —1A **14**
Thistle Dri. *Oxfd* —2F **23**
Thomson Ter. *Oxfd* —2F **21**

Thorncliffe Rd. *Oxfd* —5A **6**
Three Corners Rd. *Oxfd* —2F **23**
Three Fields Rd. *Head* —1D **19**
Thrift Pl. *Oxfd* —2E **23**
Tidmarsh La. *Oxfd* —5A **10** (4B **2**)
Tilbury La. *Oxfd* —4A **8**
Tilehouse Clo. *Head* —3D **13**
Timothy Way. *Oxfd* —2E **23**
Titup Hall Dri. *Head* —5D **13**
Toot Hill Butts. *Head* —3D **13**
Tower Cres. *Oxfd* —5B **10** (4C **2**)
Town Furze. *Head* —2C **18**
Town Hall & Oxford Mus.
—5B **10** (4D **3**)
Townsend Sq. *Oxfd* —3E **17**
Toynbee Clo. *Oxfd* —1C **14**
Trafford Rd. *Head* —3D **13**
Trajan Ho. *Oxfd* —1F **15** (5A **2**)
Transport Way. *Cowl* —1E **23**
Tree La. *Oxfd* —5E **17**
Trefoil Pl. *Oxfd* —2F **23**
Trevor Pl. *Oxfd* —4A **18**
Trill Mill Ct. *Oxfd* —1B **16** (5D **3**)
Trinity College. —4B **10** (2D **3**)
Trinity Rd. *Head* —4E **13**
Trinity St. *Oxfd* —1A **16** (5B **2**)
Troy Clo. *Head* —2D **19**
Tucker Rd. *Oxfd* —1D **23**
Tudor Clo. *Iff* —5E **17**
Tumbling Bay Ct. Oxfd —5F 9
  (off Botley Rd.)
Turl St. *Oxfd* —5B **10** (3D **3**)
Turn Again La. *Oxfd* —1B **16** (5C **2**)
Turner Clo. *Oxfd* —3C **18**
Turnpike Rd. *Oxfd* —3A **14**
Tynedale Rd. *Oxfd* —1D **17**

Ulfgar Rd. *Oxfd* —3E **5**
Underhill Cir. *Head* —2E **13**
Union St. *Oxfd* —1E **17**
University & Pitt Rivers Mus.
—4B **10** (1D **3**)
University College. —5C **10** (4E **3**)
Upland Ct. *Oxfd* —3F **5**
Upland Pk. Rd. *Oxfd* —3F **5**
Upper Barr. *Oxfd* —5B **18**
Up. Fisher Row. *Oxfd* —5A **10** (3A **2**)
Upper Rd. *Ken* —1C **20**
Upton Clo. *Oxfd* —2B **22**
Upway Rd. *Head* —1A **12**

Valentia Rd. *Head* —4A **12**
Van-Diemans La. *Oxfd* —1B **22**
Varsity Pl. *Oxfd* —4C **16**
Venables Clo. *Oxfd* —3A **10** (1A **2**)
Verbena Way. *Oxfd* —3D **23**
Vernon Av. *Oxfd* —3D **15**
Vetch Pl. *Oxfd* —2E **23**
Vicarage Clo. *Oxfd* —2A **22**

Vicarage Ct. *Oxfd* —3C **16**
Vicarage La. *Oxfd* —3B **16**
Vicarage Rd. *Oxfd* —3B **16**
Victoria Ct. *Oxfd* —5B **10** (3C **2**)
Victoria Rd. *Oxfd* —3A **6**
Victor St. *Oxfd* —4A **10** (1A **2**)
Village Rd. *Head* —1D **13**
Villas, The. *Oxfd* —3F **9**
Villiers Ct. *Oxfd* —5A **18**
Villiers La. *Oxfd* —5A **18**
Violet Way. *Oxfd* —4D **23**

Wadham College. —4C **10** (2E **3**)
Wallbrook Ct. *Oxfd* —5C **8**
Walton Cres. *Oxfd* —4A **10** (1B **2**)
Walton La. *Oxfd* —4A **10** (1B **2**)
Walton Mnr. Ct. *Oxfd* —3A **10**
Walton St. *Oxfd* —3A **10** (1B **2**)
Walton Well Rd. *Oxfd* —3F **9**
Warbler Wlk. *Oxfd* —3D **23**
Warburg Cres. *Oxfd* —1E **23**
Wards Cvn. Pk. *Mars* —4E **7**
Warnborough Rd. *Oxfd* —2A **10**
Warneford La. *Head* —5A **12**
Warneford Rd. *Oxfd* —1F **17**
Warren Cres. *Head* —5C **12**
Warwick St. *Oxfd* —2E **17**
Water Eaton Rd. *Oxfd* —3B **6**
Watermans Reach. *Oxfd* —1B **16**
Watermill Way. *Head* —2F **13**
Watlington Rd. *Cowl* —1E **23**
Wayfaring Clo. *Oxfd* —4D **23**
Waynflete Rd. *Head* —2E **13**
Webbs Clo. *Wolv* —3C **4**
Weirs La. *Oxfd* —4C **16**
Weldon Rd. *Mars* —2E **11**
Wellington Pl. *Oxfd* —4B **10** (1C **2**)
Wellington Sq. *Oxfd* —4A **10** (1B **2**)
Wellington St. *Oxfd* —4A **10** (1A **2**)
Wentworth Rd. *Oxfd* —3A **6**
Wesley Clo. *Oxfd* —2D **23**
Westbury Cres. *Oxfd* —5A **18**
Western By-Pass Rd. *Wolv* —5B **4**
Western Rd. *Oxfd* —2B **16**
Westfield Clo. *Oxfd* —3A **18**
Westgate Shop Cen. *Oxfd* —5B **10** (4C **2**)
West Gro. *Oxfd* —3A **6**
Westlands Dri. *Head* —1A **12**
Westminster Way. *Oxfd* —5C **8**
Westrup Clo. *Mars* —3E **11**
West St. *Oxfd* —5F **9**
West Vw. *Oxfd* —5F **17**
West Way. *Oxfd* —5B **8**
Weyland Rd. *Head* —4D **13**
Wharton Rd. *Head* —3C **12**
Wheatsheaf Yd. *Oxfd* —5B **10** (4D **3**)
Whitehouse Rd. *Oxfd* —2B **16**
White Rd. *Oxfd* —4D **19**
Whitethorn Way. *Oxfd* —2D **23**
Whitson Pl. *Oxfd* —2F **17**

Whitworth Pl. *Oxfd* —4F **9** (1A **2**)
Wick Clo. *Head* —2D **13**
Wilberforce St. *Head* —4C **12**
Wilcote Rd. *Head* —2E **13**
Wilkins Rd. *Oxfd* —4C **18**
William Kimber Cres. *Head* —3D **13**
William Orchard Clo. *Head* —2B **12**
Williamson Way. *Oxfd* —2F **21**
William St. *Mars* —3E **11**
Willow Wlk. *Oxfd* —3E **9**
Willow Way. *Ken* —5D **21**
Willow Way. *Oxfd* —2D **23**
Winchester Rd. *Oxfd* —2A **10**
Windale Av. *Oxfd* —2D **23**
Windmill Gdns. *Head* —2D **19**
Windmill Rd. *Head* —3C **12**
Windsor Cres. *Mars* —1D **11**
Windsor St. *Head* —4C **12**
Wingate Clo. *Oxfd* —1D **23**
Wolfson College. —1C **10**
Wolsey Rd. *Oxfd* —2A **6**
Wolvercote Ct. Oxfd —3E **5**
  (off Wolvercote Grn.)
Wolvercote Grn. *Oxfd* —3D **5**
Wolvercote Roundabout. *Oxfd* —2E **5**
Woodbine Pl. *Oxfd* —5A **10** (4A **2**)
Woodcroft. *Ken* —3D **21**
Wood Farm Rd. *Head* —1D **19**
Woodhouse Way. *Iff* —5F **17**
Woodlands Clo. *Head* —3A **12**
Woodlands Mobile Home Pk. *Ken*
  —5D **21**
Woodlands Rd. *Head* —3A **12**

Woodman Ct. *Oxfd* —5E **11**
Woodpecker Grn. *Oxfd* —3E **23**
Woodruff Clo. *Oxfd* —2E **23**
Woodstock Clo. *Oxfd* —3F **5**
Woodstock Ct. *Oxfd* —4F **5**
Woodstock Rd. *Oxfd & Wolv*
  —1D **5** (1C **2**)
Wootten Dri. *Iff* —5F **17**
Worcester College. —5A **10** (3B **2**)
Worcester Pl. *Oxfd* —4A **10** (2B **2**)
Worcester St. *Oxfd* —5A **10** (3B **2**)
  (in two parts)
Wren Rd. *Oxfd* —3B **6**
Wyatt Rd. *Oxfd* —2A **6**
Wychwood La. *Head* —4F **13**
Wycliffe Hall. —2B **10**
Wykeham Cres. *Oxfd* —5A **18**
Wylie Clo. *Head* —5C **12**
Wynbush Rd. *Oxfd* —1F **21**
Wyndham Way. *Oxfd* —3E **5**
Wytham St. *Oxfd* —3B **16**

Yarnells Hill. *Oxfd* —2C **14**
Yarnell's Rd. *Oxfd* —1D **15**
Yarrow Clo. *Oxfd* —3D **23**
Yates M. *Oxfd* —2B **16**
Yeats Clo. *Oxfd* —3D **19**
Yeftly Dri. *Lit* —3F **21**
Yew Clo. *Oxfd* —2F **23**
York Av. *Head* —5D **13**
York Pl. *Oxfd* —5D **11**
York Rd. *Head* —4D **13**